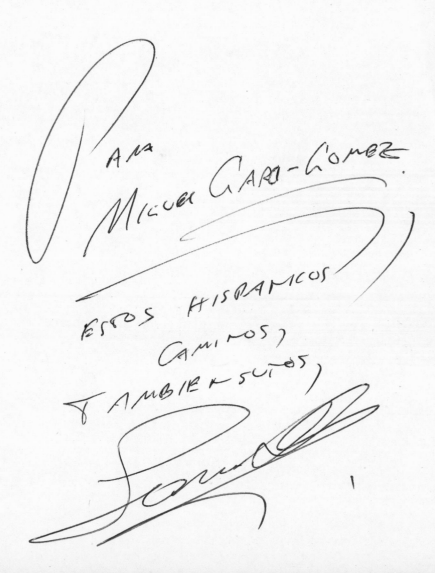

Para Miguel Garo-Gómez.

Estos Hispánicos caminos, también suyos,

PROVINCIA
Colección
de poesía

LAUREANO ALBAN

AUTORRETRATO
Y
TRANSFIGURACIONES

LEON
1983

I. S. B. N. 84-00-05390-7 = Dep. Leg. LE.-682-1983

IDENTIDAD DE LA MIRADA

Haciendo camino al andar, he ido comprobando, y lo sigo comprobando, la identidad de mis rutas ancestrales. Externa es la diversidad, profunda es la identidad de nuestros siempre alborales territorios. América y España: dos pasiones de un mismo sueño. Territorios que, a ambos lados del mar y sus historias acaso interminables, se conjugan, se transfiguran en la luz de la misma lengua y de los mismos ojos. Y porque quizá el mundo está en la manera de mirar y no en el mundo. En la forma, ésta, hispana y nuestra, de mirarlo. Aficionados como somos a buscarle un alma a cada cosa, a mirar interminablemente lo quizá finito y mortal.

Recorriendo amadísimos territorios, y rescatando de ellos un apunte acá, una imagen allá, un estremecimiento siempre, he escrito este poemario de transfiguraciones, desde los umbrosos caminos que indígenas y colonos entrelazaron en mi América única, hasta la clarísima y tañida Andalucía, pasando por la severidad ancestral de Castilla y los nortes brumosos.

7

Todos ellos territorios poseídos en su luz interior, en ese eco de transfiguraciones interminables que las cosas más amadas dejan cuando sucédense en el tiempo y la memoria, siempre miradas por los ojos del único amor inagotable: la poesía.

L. Albán

Madrid, 1981

A Rafael Morales,
a su infatigable amistad

*"Las vivencias trascendentales son cotidia-
nas y comunes a todos los hombres, las
reconozcan o no, las acepten o no."*

MANIFIESTO TRASCENDENTALISTA

Laureano Albán, Julieta Dobles, Ronald
Bonilla, Carlos Francisco Monge.
C. G. (Editorial Costa Rica, 1977).

Autorretrato

"In ixtli in yóllotl."
(rostro es el corazón)

> Principio de los "tlamantinime"
> (educadores) náhuatl.

*"Vida es vivir de manera
que no se tema la muerte."*

> Teresa de Jesús,
> Las Fundaciones.

Piedra no soy,
ni árbol, ni palabra:
cosa dura y solar
aunque en mi boca se celebra el llanto.

Terrestre el infortunio.
No soy tierra sino su rebelión:
interrogante plenitud con garras.

Este es mi reino.
Por un instante entre la llama habito
opreso en un convite de cenizas.

Doble sombra mis ojos;
ahí duplica la noche su silencio.

Temo por el ayer.
Indefensa su leal sabiduría
descubre en las estatuas a la muerte.
Tiempo no he sido.
Augurio delirante es la memoria:
resto de pájaros
malvenido a soñar.

Este es mi sitio.
Entre las cosas
que suben a morir a la palabra.
Entre los miedos del deslumbramiento.
Acompañando la perecedera
trasmutación del sol, la roca,
las lejanías ya polvo
que caen de los viandantes,
y la mirada que los niños dejan
como una brasa inmune en nuestras manos.

Muerte no he sido,
porque ella emprende
mi transparencia, hasta restituirla.
Laberinto sonoro

en donde se extravían
luces, cenizas, calles,
y ciudades desiertas como rosas.
Hecho mortal contra la muerte.

Barro no soy.
Oscuridad no he sido
aunque su espera aterre mi memoria.
Costra que forjó el tiempo
apisonando llantos,
espejo último
donde se hunde el mar,
insustituible dueño del olvido.

Madrid, agosto, 1980

Primeras
Transfiguraciones

(pasión del tiempo)

"¡Que todo se pasa en flores!,
mis amores,
que todo se pasa en flores."

Cancionero Anónimo Español
(Siglo de Oro).

"Qayllaykamujtiyri
¡Ari!
Rittiman tukunki
¡Ari!"
(Y cuando me acerco
¡Sí!
Te truecas en nieve
¡Sí!)

WAWAYI
(Poesía Quechua)

INSURRECCION DE LA PIEDRA

A Francisco Serrano

La piedra es del azar situación pura,
en ella permanece el infortunio,
pasa la luna de la sombra
y el tiempo espera inmóvil
para saltar ardiendo hacia el instante.
Se deshoja la rosa de la inmovilidad.

Ella es la reunión de la ceniza.
Llama girando sobre sí gastada
en espirales sin memoria,
donde el eco entre ardidas
paredes se refleja,
sin mirada, ni oído, ni palabra.

Oídla quebrantarse, cuerpo adentro,
como un muro que se desprende al alma.

Lento se alza su torreón lunar
entre la medianoche. Brilla
como una exhalación de polvo incierto
su densa oposición entre la bruma,
para después caer ganando abismos,
entre el flujo y reflujo demudado
del aire hiriendo al aire.

Pero es entre la mano
donde estalla su unidad solitaria,
donde deslumbra su vertiente solar
de ríos sometidos al silencio.
Donde esplende su alba clausurada,
como una melodía que creciese
inminente y sombría
hacia su destrucción.

La piedra muda de lentitud,
de muerte, de rumores y de abismo,
jaspeante entre una luz y otra,
edificando, no al albedrío del hombre,
sino a su ritmo yerto, inconmutable.
Disponiendo los muros como velas,

en donde el viento del temor impulsa
la opacidad del mundo hacia el vacío.

Ella es el límite
que afirma el horizonte
en su terrestre devoción oscura.
Sólo su sombra permanece y arde.
Las demás cosas son velocidades
cambiando de memorias,
idénticas al tiempo y al olvido,
ahí, donde el mar muele y ronda
la luminosidad de cada nombre.

Avila, abril, 1980

21

ALQUIMIAS DEL SUEÑO

Soñar las cosas es ponerles nombre,
darles velocidad, tranfigurarlas
en espacio y fervor.
Luego deciden
cada una sus pactos con el tiempo,
su oposición entre la luz y el llanto.

La soledad las vence, permitiendo
el consumante gesto del silencio.
Son formas de pasión,
casi distancias
donde construye el corazón sus llamas,

la puntual claridad
donde la diáspora del día parte.

Soñar las cosas es reiniciarlas
en otra vastedad,
convocarlas al inicial pavor
y reunirlas
en un mundo veloz e inalcanzable.

Tocad su pálida situación derribada.
Antes que el hombre ya ellas proponían
la memoria y la nada: sus combates.

Dejad que vuelvan a nacer.
Después echadlas
sobre el foso común del polvo,
el hombre, el miedo,
y la distancia que los ha quemado.

Son un río acechante y deletéreo
que no termina de pasar. Sus manos
traen la oscuridad, la densa muerte.

Entran al cuerpo sin llamar
llenándolo de la pasión del mundo,
de bandadas y golpes lejanísimos.
Suben por la garganta hasta verter

su ácida victoria
en la sed, el deseo y la palabra.

Somos su posesión,
su andadura de sangre.
Nada podemos sino hacerlas sueño.
Sino canjearlas por ardidas voces,
por inutilidades heredadas.

Las cosas y su sed ingobernable,
su grávido cansancio, sus perfumes
terrestres sometidos
a la melancolía de lo incierto.
Vestigios son del mar,
ya mar buscando
la playa alta del sueño que las salva.

Córdoba, mayo, 1980

INVENTARIOS TERRESTRES

A Antonio Enrique

Hay delgadísimos sonidos
entre las cosas y sus muertes,
como un violín sonando
mientras se hunde en un agua interminable.
Hay casas en donde las ventanas arden siempre
y la noche no puede abandonarlas.
Hay tu rostro y mi mano
y la incierta pasión de reunirlos.
Hay un plancton solar
en los cuerpos amantes,
que el mar no ha conocido ni comprende.

Hay músicas en mí
que nunca podré darte.
Hay la desolación y el rostro que la aguarda.
Hay pájaros ardiendo desbandados
desde el canto a la muerte.
hay posesiones últimas,
pulpas lunares, ríos
que irrumpen verticales a las horas.
Hay lejanías, ellas todo lo envuelven
en su vasta memoria deletérea.
Hay bosques esperando,
como una explosión inaplazable,
debajo de las calles por su aire.
Hay objetos mortales, espejos agresivos
alrededor del hombre que no duerme.
Hay flores y su fulgurante devoción.
Hay el polvo y su rostro de tempestad.
Riadas que se sumergen en las mareas del viento.
Advertencias perdidas. Llaves muertas
y ciudades por ellas clausuradas.
Hay hombres decapitados
con múltiples razones para seguir viviendo.
Hay un fragor espeso de lunas apagadas
en los ojos quemados.
Y hay el dominio breve del amor.
Hay personas que abordan moribundas los trenes,

otras que las olvidan,
y aquéllas que regresan
a las nuevas razones de la muerte.

Nicoya, febrero, 1980

ACONTECER DEL FUEGO

Todas las formas van tomando
claridad de pájaro en llamas.
Es el olvido el que las desfigura
y les da vuelo y muerte.
Tienen en ese instante
un poderío sobreviviente.
Una precoz ceniza las alcanza
a media gestación, transfigurándolas
en manos, lazos, boca,
cosas del hombre que oscurece y pasa.

Es la incineración lo que miramos.
Llameante es el rumbo del paisaje.

Sobre su fuego, en lívido equilibrio
dilucida la luz brasas u olvido,
y abre la diáspora
benigna de la flor y de la sangre.

Todo es el fuego errando,
sus majadas corriendo sobre la tierra pronta,
pisoteando aún la primer alba, esparciendo
los colores crecientes de la muerte.

Su letal equilibrio
de crisol de cenizas nos sostiene.
La sonrisa es un rayo quemando la alegría.
La piel es una llama delgadísima en torno
del vertical calor de su memoria.
Y el beso muda de calor y labio.

No hay cipreses lucientes.
Hay cipreses ardiendo.
No hay aire, espacio, cielo,
sólo la abovedada flama de la distancia.
Ahí se alza el estupor precoz,
el dintel al acecho,
y en anulares meandros
los ríos precipitan
su fugaz continente

en la hoguera del mar.
Sólo es tiempo el que arde.
La alevosa señal de la sangre quemada.
La combustión dormida de los cuerpos amados.

Intercambiamos llamas,
ardidas losas,
voces ya incineradas por el viento,
objetos combustibles del azar.
Relámpagos guardados
en vasijas y nombres.

Es el día una única, sonorísima llama,
un magma transparente,
un diamantino acecho.
Velocidad quemándose en las manos.

Izalco, febrero, 1980

PANICO AZUL

"Todo ángel es terrible."

RAINER MARIA RILKE

A Matilde Bianqui

Vigilad el milagro.
Suele doler su luminosidad.
Detrás de la ventana es aire y aire,
y esa partícula de azul
que la noche violenta.

Temedle. Otorga permanencia al estallido
de la muerte. Envuelve nuestros cuerpos
en gloriosas cenizas,
y cumple la sentencia liminar de la luz.

Del centro puro de la llama ascienden

sus rostros como un oro incontenible.
Brotan las cúspides
veloces de lo oscuro, si se acerca,
y el hombre se deshace
ante el primer destello
de polvo luminario
que le golpea el corazón.
Intraducible es su espejismo.
Hecho con materiales últimos:
lámparas asoladas por el día,
fortuitas aguas que la noche acoge,
criptas desordenadas por los sueños,
y por el vértice fatal
donde la música
toma forma de ser inextinguible.

Es el milagro.
Sus manos invisibles redibujan
el topacio ceñido de los árboles,
y el claro rostro que se acerca
rodeado de faros desde el alba.

Recibid el milagro. No es posible
detener su mecánica terrestre.
Giran sus mundos entre el polvo
que pisáis olvidando.
Marcan sus brasas

los mapas imprecisos de la lluvia.
Deposita fulgores al fondo de las frutas,
y se mece en lo inmóvil de la noche
trocado en vendaval.
En la ceniza bulle.
Sobre el deseo rige.
En el espacio agota las estrellas.
Entre la piedra fija
la agonía mudable de la sangre.

Es él bajo la escarcha
rodeando al insecto agonizante
de cristales y mundos transparentes.
Vaticinando el mar bajo la lluvia.
Dándole a la ebriedad rostro y espejos,
y a la pequeña muerte,
la que cabe entre los cuatro rumbos del silencio,
dimensión y terror de luz en viaje.

Cádiz, abril, 1981

LA PUERTA SOBRE EL TIEMPO

LA ALHAMBRA

Un punto sólo, en donde
reúne sus abismos esta luz.
Un detalle de niebla.
Un lívido episodio del olvido.

Hacia él todo deriva, arrastrando
los mundos desmentidos de lo incierto:
la casa, el rostro, el mar.
Tenaz el mar resiste
pero cede y desciende hecho pedazos,
pero cede y esparce

su musical ceniza
de violín incendiado por el tiempo.

Un punto de oscuridad,
abandonado por la noche
para vaticinar la destrucción.
Mirándonos sin término
al final de la inmóvil desmemoria.
Reuniendo cada llama con su sombra
en una alquimia idéntica al vacío.
Esperando los nombres inconclusos,
girando en las destruidas
razones del azar.
Reuniendo las flores desecadas
en un nimbado cetro de tiniebla.

Un punto último, en donde
el corazón no pasa ni arde,
y es un cristal incorruptible
el día entre los ojos,
y la roca antes debe
transfigurarse en música.

Ahí, pórtico cruel,
caen los trajes oblicuos de la noche,
a tientas la mano tacta su final y asume

dedos de claridad,
nudillos de diamante,
y la piel más traslúcida del viento.
Hacia él apuntan rojas
velocidades, casi sangres.
Los árboles inclinan sus copas encendidas.
Las losas tiemblan,
mejillas minerales del rocío.

Deriva inmemorial.
Cósmico acecho.
Otoño permanente en donde todo
es una hoja única secándose,
que cae desde el alba, y vuela y cesa
girando entre los últimos círculos del aire,
y traspasando
la azul consumación de la mirada.

Granada, junio, 1981

36

GEOGRAFIA DE LA SOMBRA

A Mariano Flores Castro

En el desgaste de las cosas hondas
como la sangre y su murmullo.
Donde la sombra detenida guarda
en su iris de flor inexpugnable
la alucinada soledad.
Ahí cae el rescoldo vertical del sueño,
manando como un mudo vaticinio.
Se desprenden las torres
desde sus equilibrios indefensos,
con un estrépito, con un fragor,
con una voluntad deshabitada.

Ahí la noche invade lentamente
con su lunar vehemencia, convirtiendo
los nervios en riadas de silencio,
las burbujas de oxígeno asombrado
en estallidos de pavor, cambiando
la piel erosionada por la muerte.
Es la región ingobernable, el hilo
que se desteje en espirales últimas
mientras desaparece
nimbado por la intensa oscuridad.
Las ciudades se expanden deshaciéndose
entre el ácido lento del olvido.
Los bosques se derrumban
arrastrando las banderas del viento,
los pájaros se apagan y se encienden,
retroceden los lechos a la cuna,
hay párpados doblándose
como puertas de azogue calcinado.
Los besos dejan de crecer.

Fluye la soledad. El mar detiene
su transfiguración.
Gira la piedra unida al día único.
El aire prometido
extiende nuevamente su memoria.
El aire ocupa

el espacio que el cuerpo ha abandonado.
Y la ceniza cae desde los pájaros,
desde la circundante luz, cubriendo
los cuerpos y las sombras
con una pátina última de azar.

Pamplona, mayo, 1981

ALEGORIA DEL CAMINANTE

Como un blanco en la noche,
donde acierta el olvido
y se ceba el misterio.

Con los sueños desnudos,
con los ojos desnudos,
fáciles ambos de cegar.

Donde la piedra arroja
sus destierros sonoros.
Protegido tan sólo por lejanías,
por móviles, azules
invisibilidades.

Como un blanco en la niebla,
donde acierta la muerte,
los ojos que los pájaros
dejan caer y estallan,
las mareas sangrantes
que no soporta el mar.
Fácil de herir. Brillando
bajo la desnudez.
Mientras crecen sus venas
alimentando el tiempo,
como un ahogado vuelo de amapolas.

Como un blanco en el viento,
expuesto al infortunio.
Hacia donde dirige
sus pavores la llama.
En donde toca el fondo
de la nada el naufragio,
y caen las murallas
que sostienen el aire,
y los peces deshacen
sus escamas de invierno,
y la luz se corrompe
como un vino enterrado.

Como un blanco en el vértice

liminar del olvido,
sujeto a las oscuras
tareas de la lluvia.
En donde acierta el tiempo
que desnuda a los seres y a las cosas
en su alucinación.
Y el mundo como un ciego, hiere y pasa.

Alcalá de Henares, julio, 1980

SEGURIDAD DEL NAUFRAGO

A Jaime Siles

Eramos la verdad de niños:
sólo la verdad incomunicada
en el delirio.

Ocasiones de amar hubo, gastadas
quedaron como mínimas memorias.
Con la tenacidad de lo vencido
el dolor acercó todas las cosas
hasta enceguecernos.

Cruzo desvanes en donde la sombra
abandona sus manos humanísimas.
Hazaña soy del tiempo.

Los días quemados
sobre la piedra acechan
como brillos lentísimos.

Aún recuerdo
como a un clamor de pie
todas las cosas que me abandonaron.
Olorosa nos queda la memoria
de estupores vencidos.
Cortinajes borrosos son los años
mezclados al azar para la muerte.

Tanto vale este instante.
Tanto cabe en la luz asediada del naufragio:
el mundo con sus bosques transitorios,
los niños con sus ojos transitorios,
los sueños con sus ámbitos cerrados.

Es la verdad del mar lo que perdura
transfigurándose en los cuerpos náufragos.
Devoción incesante
de la precipitada soledad.
Y este remoto gesto de caer
hacia la puerta
total y solitaria de la nada.

Denia, junio, 1980

POSESION DEL AZAR

Morir con esa fuerza
que sube de la tierra
ya impregnada de azar.

La mano adelantada en la tiniebla
como quilla serena,
y los ojos atormentados de silencio.

Antes poner las cosas en su sitio:
la pena en su futuro o en su término,
los labios en sus flamas compartidas.
Antes trocar la luz en lámpara,

humanizar la luz entre una lámpara
que podamos someter con amor.

Y caer vertiginosos al lento,
inmóvil, estatuario,
dintel del mar.
Y decidir a tiempo,
ya el olvido,
ya la llama.
Todo a tiempo.
Sin ocasión de error.

Es el secreto de la vida breve.
El gesto nimio de cerrar la puerta
atrás, y otra y otra
en sucesión que abre y cierra vértigos,
en donde quedan
los nombres como espejos
reflejando el pasar.

Sólo eso basta.
Entender de la muerte
su potestad de tránsito cerniéndose.

Arder es perdurable,
para eso nace el mundo

al dorado estallido
de cada día.
Y la campana se detiene,
sólo ese instante es música,
entre una y otra torre de quietud.
Y las largas figuras del ocaso
trasladan a la noche su misterio,
y la arena prolonga
su levedad humedecida
entre el deseo del mar.

Sabiendo que mañana
el rostro cruza
su nueva finitud ante el espejo.
Y el día llega
como un desconocido
con la ciudad ardiente de sus ojos.

Sometidos al largo aprendizaje
de darle un mortal sueño a cada cosa,
y ellas, intercambio feroz,
olvido por olvido.

Alcalá de Henares, abril, 1980

OCASION DE CENIZA

A Antonio Bousa

Esto es ceniza: doble sombra.
Digo la palabra quemada.
Unicamente ella,
combustible constancia,
nos une al consumirse
el anillo sonoro de su luz.

Es un instante la ceniza.
Entre su gris mortal descubre el fuego
el oro de mañana,
y graba en ella
la tempestad
su lucidez de lirio.

Sombríamente adquiere el rostro
fugacidad de brasa evanescente.
Digo el canto quemado,
la semilla impensable del pavor.
Sobre la página
anuncian su agonía los silencios:
mareas subiendo a contraluz la muerte.

Sólo es ceniza sola lo que pienso.
Sabiendo que ella asume
forma e intensidad si se le nombra,
calor de cuerpo si se le acaricia,
mirada y potestad si se le llama.

Esto es ceniza. Digo instante,
digo el poema salvado
del sedimento ciego del olvido.
Digo que lo que arde
asciende y vaticina,
cresta de oscuridad sobre los ojos,
como la potestad letal del tiempo.

Alcalá de Henares, mayo, 1980

PERSISTENCIA DEL AGUA

Desde su arquitectura conmovida
se levanta el abismo
trazando innumerables soledades.

Es un furor. Sentidla.
Su placidez
es sólo un artificio
de la fugacidad.

El agua impera y ata
con su cristalino fervor.
Habitación total. Certeza próxima
que inunda el corazón o la palabra.

No hay escapatoria de su asombro,
ni sueño en que no irrumpa. Nadie
puede evitar su frío inconmutable.
Sola, impulsa
con gesto irreflexivo
la vida hacia el azar
y la deshace.
Es un umbral de diáfanos designios
donde todo regresa
a la primera levedad:
los rescoldos besados, las auroras
lanzadas a morir sobre su sombra,
los pulsos agredidos, sangre a sangre,
hasta trocarlos en la oscuridad.

Y el hombre,
pobre sitio que se quema
entre sus lentas llamas corporales,
a pesar de la luz que deshabita,
hialino como el tiempo
cede ya su deseo y su presencia,
entre el flujo y reflujo ingobernables
de la totalidad del agua insomne,
como un dios que cambiara
su reino por la muerta transparencia.

Isla de Ometepe, enero, 1980

ESTACION DE LA FORMA

A María José y Antonio Colinas

Queda la forma pura,
el silencio destruido y su rumor.

La nieve en que el poniente
se detiene incendiándola,
e inventa rostros: sombras
que se alejan del sol.

Queda la forma sola

estallando hacia el centro
como una perfecta y veloz consumación.

Su prodigioso guante
ciñéndose a lo incierto,
y la playa rodeando
fosforescencias últimas,
como un dintel huidizoso
donde se precipita,
ya solitario, el mar.

Las aristas ardientes como signos o sueños,
veloces tactos llenos de mineral calor.
Volúmenes silentes donde la mano escapa,
turbia fallece y tacta otro mundo a trasluz.

Queda la forma sola.
Su precisión. Su vértigo completo
de piedra desnudada entre el amanecer.

La textura del fuego
detenido del alba.
El encrespado auge
de la espuma en la noche.
Golpes de luz precipitándose
por los poros del mundo,

hacia el tiempo que asume
los paisajes del mar.

Sólo la forma sola,
sin nadie, como un astro
perfecto entre su abismo.
Irradiando velámenes
que se engarzan y parten.

Mientras la inerme gesta
de la vida decrece,
ojo de polvo,
nombre contra el olvido,
llama de la fugacidad.

Mientras declina el brillo
de los ojos amantes,
y la noria del alma se deshace
girando en soledad.

La forma impera, inflama,
reúne la belleza,
la precipita, alza y destruye
bajo alados designios.

Sólo en la forma sola
suben a la presencia
silenciosa del tacto:
alas, rumores, nombres
del cuerpo y su esplendor.

Aranjuez, diciembre, 1980

¡AH DE LA VIDA!
¿NADIE ME RESPONDE?

Homenaje a Don Francisco de Quevedo

Si el cuerpo es muerte que se da a la muerte,
y el ojo es sombra que se da a lo oscuro,
y el corazón es flama sin futuro,
y el miedo es celo que la tumba advierte.

Si el paso nunca acierta tanta suerte
como para cruzar la luz seguro,
y toda senda se convierte en muro,
y todo sueño sin cesar se invierte.

Si la quietud es sed del movimiento,

y la noche el temor de cada día,
y la estrella una llama ya cegada.

Si el mundo es la ceniza de un momento
y el canto es un silencio todavía,
¿en dónde, Dios, terminará la nada?

Ciudad Real, octubre, 1980

LOS ESPEJOS DEL TIEMPO

A Luis López Alvarez

Estoy ante el espejo, o sea, muero.
Como el contorno de la desventura,
letal brilla mi cuerpo.
Como los barcos cuando se deshacen
atados por destellos
de quietud al naufragio.

Miro este espejo:
río quebrado entre el futuro;
y en sus fisuras mi pavor, mi nombre,
mi pobre imagen única
de luz despedazada,

y todas sus astillas
clavadas en mi sombra.

Sé que los resplandores
del azogue sediento
valen lo que vivimos,
y más aún, en cuanto
ellos reflejan solamente
la porción milagrosa del fulgor.
Estoy ante el espejo:
apresado en su luna
de luz y polvo, sólo
soy el duelo del tiempo.
No hay futuro.
Unicamente él
con su espejear lentísimo,
como una vela henchida de levedad.
Certero ahí.
Remolino donde se precipita
de cada cosa la mejor quimera,
de los cuerpos la muerte rescatada
entre su profecía transparente.

Nadie escapa. Es inútil. Estallamos
alejándonos los unos de los otros.
Nos expandemos entre la palabra,

nos agotamos entre su esplendor.
Allá una mano,
acá, interrogante,
un vestigio de asombro,
y luego, nadie.

Caer y arder,
ya mar, vertiginosos
entre el espejo del azar sin tiempo.

Texcoco, febrero, 1981

APOLOGIAS DEL SOL

"Y el estanque se llenó de agua
salida de la luz del sol."

T. S. ELIOT

La transparencia vierte
el día sobre el mundo. Creo.
No cesará el estado del milagro.

En el cielo abril teje sonoridades.
Fluye su música, levemente humanizada,
entre tu mano y mi mano, casi sangre.

Este es el fin. Vértice donde
las doradas cenizas
de antiguas primaveras se revierten.

Lento es el acto del prodigio:
la invisible inteligencia de los frutos sabe
conjugar la certeza y el color.

Danza la levedad del pájaro
en alada transfiguración,
entre el viento único, sometido a lo azul.

Y mis pasos, y tu eco en mis pasos,
ignotas certidumbres
compartidas con el secreto, son,
envés del tiempo y de la sombra,
del paisaje transparencia también.

Alcalá de Henares, abril, 1980

LAS LENGUAS INVISIBLES

Homenaje a Miguel Hernández

Callad, aquí ha callado alguien.
Quedan palabras soterradas. Aúllan
con su delgado cuello de cristal.
Enmudecen vencidas,
crepúsculo a crepúsculo,
sin un labio en la sangre
donde subir al habla.

Son diminutos rumbos,
diminutas campanas,
vocales encerradas en secretos totales,
consonantes quebradas como ramas de olvido.

Ni siquiera hay palabras, ni rumor:
sólo un eco que se debate solo,
donde crece el poniente,
donde pasa la hierba en oleadas ilímites,
y estalla el artificio
de otra palabra y otra,
y un gesto riente
y otro como de fuga o llanto.

Ni siquiera el fragor de la quietud.
Solamente, tras la persecución
constante de la música,
los pájaros y el viento;
en donde se despeña la claridad,
en donde agotada termina
la verdad del silencio:
ni siquiera hay silencio
donde ha callado alguien.

Alicante, mayo, 1980

EL RITUAL DE LAS HORAS

Vulnerant omnes
ultima necat (?)

A Luzmaría y Antonio Porpetta

Las horas pasan como si temieran
quedar en el azar entrelazadas.
Ellas son una mínima presencia
que gira desde el éxtasis al fuego,
donde discurre la ciudad del aire,
donde las multitudes se desnudan
precipitadamente hacia la noche.

Las horas son un don. Ellas lo saben.
Perceptibles apenas, atesoran
la vaguedad del beso y sus memorias.

Turbia razón del óxido yacente,
abismos diminutos sucediéndose
como una inexcrutable melodía
que trazara equilibrios sobre el tiempo.

Deben su persistencia a la ebriedad
que extiende la pasión ante los ojos.
Una tras otra izan
el instante de la desolación,
el segundo gozoso de los labios,
el presente tensísimo del mar
que bajo el horizonte las destruye.

Ignotas y certeras, ellas dan
perpetuidad o sombra o desmemoria.
Acercando los cuerpos
a su fanal de polvo y doblegándolos.

Vanamente posibles, como el tiempo,
tienen el fervor turbio de la noche
que llega a deslumbrar.
Son también tránsito en la niebla,
igual que el corazón o la mañana.

Ellas no llevan a la muerte.
Sólo deciden la ilusión y estallan

cuando se les inunda de silencios.
Son la mecánica feroz del llanto,
un artificio más de la fugacidad.

Las horas pasan,
con su ración de mar,
fugándose hacia nortes invisibles,
llenas de mundo, como la palabra.

La Ceiba, marzo, 1980

DESTINOS DEL AZAR

" El azar es orden en el tiempo."

Bienvenido el azar
porque deshace las certezas
cumplidas del ayer,
y deja su levedad
ardiendo indescifrable.

Porque sitúa con inmóvil mano
las cosas en sus cúspides,
los cuerpos en su flexión febril
de sangre y rumbo,
enerva llamas bajo la penumbra,
y recíprocamente entabla un juego

con las cosas y el hombre
hasta quemarlos
en la quietud o en la palabra.

Formado por pequeños estallidos
de rosas que no vuelven,
por paisajes que irrumpen
sólo en la soledad,
por temibles espejos
que pasan inmutables como ángeles,
por innumerables y forzados delirios
que alimentan el mar todo de lámparas.

El azar como el sueño, intercambiable.
También el tiempo y sus raudas estatuas
en donde deposita
sus huevecillos verdes el silencio.

Sólo el azar destruye.
No es la mano ni el fuego.
Es su furor de cero innumerable.

Destituye, proscribe
o habilita el asombro.
Da la ceniza necesaria al miedo
y al viento su pasión ingobernable.

Razón del estupor.
Es el deseo el borde de su abismo.
Instantáneo quizá. Perdura y muda
de rostro o vastedad.

Por él la lluvia
baja inequívoca a la sombra,
los ríos tienden su clamorosa sed,
la fruta cede,
el viento transfigura el horizonte,
y el hombre y su pasión,
turbia marea intentando otro azar,
destiempo puro,
decrecen, se deshacen en torno del temor,
como un aura de polvo y desmemoria.

Medina Sidonia, mayo, 1981

LA NOCHE ASUME SU PAPEL DE RIO

"La noche terca, como un río abierto."

ALFREDO ROGGIANO

La noche mana lenta,
desde sí misma mana
como una perspectiva
de cosas ya quemadas sin paisaje.

La noche mana
empujando las cosas a su abismo,
con esa inmóvil, nítida,
oscuridad de los temores últimos.

La noche roza el frío de los árboles,
desprendiendo destellos

de cristales en sombra,
y arrastra sobre el mineral tacto de la tierra
su piel de diosa azulmente gastada,
su rostro de ciudades invertidas,
sus espejos tallados por la luna.

La noche fluye
tomando el sitio cruel de la memoria,
cubriendo con su tiempo de estación infinita
los cuerpos sumergidos hacia el alba.

La noche asume su papel de río,
arrastrando oleadas de insectos y raíces,
rocas que movilizan sonoras lejanías,
encinas fulminadas por un rayo invisible,
fosforescencias fatuas,
como inútiles, prófugos
cielos a la deriva.
Igual que un río cegado
se yergue horizontal
lindando con la nada.

La noche mana lenta,
inverosímil,
a través nuestro mana,
purificándonos

de toda cruel luminosidad,
de la evidencia aguda de los ojos,
llevándonos a un nuevo territorio
que tras el ojo inventa un mar,
único mar creíble,
el mar del sueño que crece soñándonos.

Coatepec, marzo, 1981

Ultimas Transfiguraciones

(espacios del olvido)

"Como una pintura
nos iremos borrando."

Nezahualcóyotl
de Tezcoco.

(Trece poetas
del Mundo Azteca)

"Más allá se estremecen los abismos."

LUIS CERNUDA

HABITACION DEL HOMBRE

(SANTILLANA DEL MAR)

> *"Lo que tengo en las manos*
> *quizá no es más que sombra,*
> *aprende a ver en ella*
> *una cara inmortal."*
>
> YVES BONNEFOY

I

Este silencio móvil como sangre
en donde el tiempo esparce
su luminosidad. Pulso fatal,
pasión nocturna que nos aniquila.

Vuelve el anochecer
con sus devotos ocres.
El horizonte se torna breve polvo
creando lo inasible.

El rumor de las cosas abismadas
crece, prorrumpe como un mágico
nombre de oscuridad,
sube las transparentes
paredes del delirio,
casas acontecidas,
hechos consumatorios como dagas.
Se adueña de las luces
y de su centro inmóvil
de tiempo incandescente. Impera
sobre los incumplidos vaticinios.

Lejanas losas se ahondan para el cuerpo,
imitando los miembros detenidos
en su cóncava y exacta soledad.
Ahí los pasos deshilantes muerden
el musgo ya irisado de penumbra.
Los cuerpos vierten
una cruel claridad deshabitante.
Y al revés la palabra no es silencio,
ni antípoda, sino la otra palabra
que permanece dicha,
fluyente, sin pasar.

II

Es el paisaje urdido para el hombre.
Algo interminable y fatal
como su rostro
a intervalos ceniza u horizonte.

Es la casa que arde inagotable
porque es de piedra ardiendo su calor.
La copa que contiene el infortunio.
Un contorno de alas apresadas
golpeando las ventanas y los ojos.

No puede haber más luz.
Ni menos muerte.
Ni una tierra más dúctil y más clara.
Ni un Dios más presentido.

Este es el sitio.
La adecuada quietud para la muerte.
El equilibrio que bebe la vida.

Ha de estallar el sol. Está descrito
en el ardor que muerde la mañana.
Ha de cesar la luna,
el polvo entonces
emprenderá otra claridad.

Este es el sitio:
la sangre y su vertiente clamorosa,
la flor situada en donde inflama el cielo.

Cada cosa precipitándose,
estallando y ardiendo,
dando los golpes que le marca el mar,
los embates precisos,
los silencios que caben en su sombra.

Cada cosa yaciendo.
Cada rostro viajando hacia la llama
en donde se refleja. Cada nombre
es el origen mismo,
el ciclo, el viaje,
la ceniza solar, primera y única
fosforescencia donde pasa el hombre.

Santander, agosto, 1980

LA MUSICA INCESANTE

(SIGÜENZA)

A Homero Aridjis

I

Todo en lo que creo
tiene en mí su dominio:
tu mano pronta al esplendor,
la unigénita forma
que toman los silencios tras tu nombre,
y el paisaje que adquiere
albor e intensidad
nimbando tu presencia.

Cuánta seguridad otorgan
la muerte o el amor.

Confirman los objetos y los seres
su recíproca transfiguración.
Las flores valen
por el aura que dejan al quemarse.
Y tú y yo recogemos
todas sus luminosidades,
alimento de olvido,
norias pequeñas de la luz
donde la vastedad alcanza,
reunido azar, el fuego.

Si hay un destino único
para el agua que irradia,
la mano que decide vaticinar el tacto,
el pájaro que vuela desgastando su muerte
y el sol que lo circunda
de alboradas veloces,
será el olvido sólo,
porque desnuda al hombre
de artificios mortales,
y le da transparencia
final a su palabra.

II

Después reuniremos
inaugurales músicas
que habrán de trasmutar
la irrenunciable muerte.
Ahí se cumple la noche
y el recuerdo no puede
agotar los deseos
totales del silencio.

Su alimento es la muerte.
Su razón es el hombre
transitando y quemándose.

Todo lo que llamamos
por su llanto o su nombre:
las cosas deteniendo
sus campanas terrestres,
el paisaje posible
sólo en su móvil luz,
la vecindad cegada
y yacente del hombre,
las voces mudas y otras
al fondo del espejo,
y la madera en viaje,

y la casa temblando
sobre el filo del tiempo,
y el corazón tramado de la llama,
se transfiguran, últimos,
en incesantes músicas.
Más alta que el olvido
esa música arde.

Alcalá de Henares, abril, 1980

CONVERSANDO CON CARLOS

(MADRID Y ALBA)

A Carlos Bousoño

I

Era en el alba. Creo que era en el alba.
Porque había un rumor,
un sueño, un vértigo
detrás de las palabras
que estallaban entre la oscuridad.

Ardían insondables destrucciones
entre la lenta luz.
Espejismos erráticos
del alma y sus retornos

sumían cada gesto
en otra indestructible soledad.
Como si regresaran las palabras
ahogadas bajo el signo,
desde una alta memoria ingobernable
donde el estupor rige para siempre.

Sin prisa iba la voz,
el silencio también.
La luz entre el olvido
pasaba como un don desesperado,
cayendo, deshaciéndose,
atropellando
los límites abiertos de la sombra.

Digo que era en el alba.
Cuando la medianoche
se destruye a sí misma,
y cae vertical, veloz,
sobre los ojos
que no la pueden retener.

Y sólo queda el tiempo
extendiéndose aún como el resabio
de un horizonte
en tránsito hacia el sueño.

El tiempo inapresable
y su raíz nocturna
aromosa a ciudades,
su radiación solar
entre la noche, deshaciéndose
en los espejos raudos del silencio.

Y el alba ya es verdad,
como una inmóvil cúspide
donde el destino arde,
señala, asombra, esplende,
secreto intransferible
como el último azar.

II

Sólo la llama pasa
a la inmovilidad.
Sólo persiste eterna
la situación mortal
de tus manos al alba.
Que sobre ti se apagan y se encienden
las voces que prolongan el delirio.

¿Dime dónde, hacia dónde

voltean las palabras
su atroz desolación
cuando no queda nadie?
Es el tiempo —su reino—
el que nombra las cosas, su mudez
está llena de viajes.
El es el agorero
resabio de otras muertes,
el fragante espejismo
que en los cuerpos se posa
como un paisaje de consumación.

¿Por qué de las palabras
permanece tan sólo
su razón de silencio,
y ahí donde terminan
empieza el mundo,
veloz e inclaudicante,
como si lo innombrado
lo rehiciera y salvara?

No queda nada o nadie.
Donde acaba el pasado
se detiene la noche:
sólo en ella pervive

la verdad de los rostros
cuando desaparecen.

Intercambiables somos,
como miedos o sueños.
Caballos enjaezados
de oscuridad,
que galopan hacia su destrucción
rompiendo los presagios
indefensos del alba.

Sola es el alba sola.
Ella conforma lo destruido
en otra luz, en otra vastedad
teje y desteje el mundo.

Nosotros sólo ardemos,
tenazmente asediados
por una inaplazable
incitación de abismos.

Sólo una vez ardemos.
El futuro es olvido,
y el olvido es un barco
cargado de ceniza,
que deriva en la noche

total, hacia el naufragio
que vence la palabra.

III

Tan sólo eres un signo,
afinado por el constante asedio
de las cosas rompiéndose
y los otros nombrándote.

Ahora lo sabes,
porque el alba sorprende
como una verdad
que se convierte en mundo.

Lo demás ya son gestos
de ceniza en tu rostro,
donde la infancia aún
es un fervor posible,
trasmutándose en la velocidad
del tiempo y su memoria.

Sólo la muerte es imposible.
Sólo su primavera
deriva es del vacío.

Habitación del alba,
sólo en el alba existes,
con esa persistencia remota
del dolor que se afirma
en la sed de sí mismo,
se concentra en su niebla,
se arremolina y parte,
y hunde raíces en el tiempo
hasta hacer de la muerte
permanencia y palabra.

Eres un hábito nocturno
brillando sobre el alba,
como un punto agitado
de soledad, de hechos errantes,
fatuos, que anegan su recuerdo.

Interrogante y solo
la respuesta te abruma
de claridades,
te ciñe a los oscuros nombres
del suceder,
hasta cambiar tu rostro
en una lenta, ahogada,
interminable transfiguración.

Madrid, diciembre, 1979 - enero, 1980

CIDADE DO OLVIDO

(TEOTIHUACAN Y NUMANCIA)

"En tu grandeza, en tu hermosura
huyó lo que era firme y solamente
lo fugitivo permanece y dura."

FRANCISCO DE QUEVEDO

A Amparo Amorós

I

El olvido es un orden, una forma
de sustituir las cosas por su luz.
Aplicado a su incendiario oficio
de casa transparente entre los ojos,
va erigiendo ciudades desmentidas,
puertos en donde el mar
es el destiempo puro de lo azul.

¿Cómo saber? Si entonces ya era
sólo un espacio abril:

la piedra cimentaria era también
sólo una luz de abril.
Y en la ventana el pájaro transcurre,
no vuela, que transcurre el aire eterno
a través de su vuelo.
Y sus ojos me miran
como mira el relámpago,
sólo otro instante, el mar.

Mirad. El tiempo es siempre
una ciudad pasando, un reino único,
una vasta memoria cambiando de cenizas.
Obligado a cimentar sobre rocas de olvido,
y a edificar,
entre un ojo y otro ojo de la muerte,
la insegura mirada del instante, en donde,
habitante ya el hombre, cae al tiempo.

El olvido es un orden,
una disposición de transparencias,
la ley final que emerge de las cosas:
ellas como sentencias
o alas sobre el hombre.

Cada ciudad desciende
por los meandros del tiempo.

Riadas de azufre y sombra,
sus calles se reúnen
en el fondo de la vejez sin nadie.
Cada casa se aboca
a una demolición de claridades,
hacia el oficio último de mar,
sentina pálida,
de la llama que avanza.

Llama o cristal, arcillas son del aire.
Tiempo de luz, es la ventana al mundo.
Y la mirada quema,
quema el instante, y pasa.

II

Ser ciego será un don mañana.
Un don terrestre.
Un terrible pendón de noche en todo,
en el que se adivinan
arcillas luminosas sosteniendo
planetas y silencios en la ausencia.

Como el gusano a tientas,
como la piedra a tientas,

o como el agua dúctil
adaptada a su sombra.

Así, de bosque a llama, cabalgando
la engacelada culpa del instinto.
De un rostro a otro y otro y otro
la ciudad toma forma de tejida mirada
donde tiembla sin término
una gota de aire, casi sangre.

Que no habitamos nada.
Que nada acompañamos,
sino una diáspora
de azules lejanísimos,
que forman y deforman,
ya ladrillo a ladrillo,
el destello dormido de una torre
que vacila cual péndulo
—ganancia es de la muerte—
de la nada hacia el tiempo.

De tarde en tarde, alguien
ciego por todos,
en donde todos dejan
su oscuridad sin término,
pasa recogiendo la noche,

los temores sin alba,
el horrible destello
de la estrella volada.
Pasa. Grácil el aire lo rodea
de círculos quemados. Pasa
llevándose de las flores oscuras
el aroma nocturno de la sangre.

Y queda el filo puro de la llama
reiniciando el día,
y la palabra que sólo será música
hasta que no sea llanto.
Hasta que de la tierra
no surja la alta sombra,
ciega de cal sellada,
en donde habita el hombre.

III

Un muro derribado
por la lluvia o el vértigo,
un pájaro con sed
y agonías en los ojos y en las alas,
fosforescencias son
de un viejo dios de piedra
que aquí perdió la luz de su parábola.

Este es el sitio.
Sólo cambió la sombra.
La casa, ora destruida,
mañana edificada,
puso puertas y número al espacio.
Pero ha quedado el móvil del delirio,
los lacrimosos óxidos del tiempo
dibujando en los labios de la piedra
sus dedos transmigrantes.

Sólo pervive el pánico.
Dadme otra vez, viejo poder, la lágrima.
Dadme de nuevo el hecho y sus relámpagos.
Dadme el insomnio rojo y sin palabras.

Aquí tuvo lugar un dios.
El hombre aquí
se reflejó en la noche incandescente,
y miró un rostro último:
ah confusión de rostros
de dioses es el hombre,
ah profusión de palmas
cerradas es el llanto.
Ah innumerables voces elegidas,
una pasa, otra emerge,

otra aspira quemándose,
es la sola palabra.

El miedo es una llave
inmóvil en los ojos,
que ahora se mueve, y gira
la doble puerta honda de la tarde,
se desliza el paisaje
sobre el pico del pájaro,
lo empujan altamente
las primeras estrellas:
vuelve la vieja llama,
reina la antigua piedra,
y cruza un astro nuevo la luz ámbar.

Este es el sitio único del alba.
Siempre es aún del primer día
hoy su primera sombra.
Sólo cambia de muerte la palabra.

IV

Venid estatuas a decir el nombre
que detuvo la muerte en vuestros ojos.
Que la mirada fue culpable. El sueño
de ella brotó como creando el mundo.

¿Acaso en las columnas las estrellas
no dejaron, ya mármol,
sus fugaces memorias encendidas,
y el pie del viento no grabó en la piedra
las distancias derruidas del silencio?

Aquí posó una mano su certeza de río,
y el águila encendió frente a la sombra
sus alas de crepúsculo.
Allá acaso la espada se deshizo
entre el girante óxido de un sueño,
y próxima la muerte
alzó el enjambre de sus dardos ciegos.

Oíd cruzar el frío
al fondo de la roca lacerada.
Su metálica luna detenida
deslumbra el ojo eterno del insecto.
Oíd los templos en la brisa hundidos,
sonoros ir por alas a la muerte.

El antifaz del tiempo
se aferra sobre el rostro de la arcilla
en la fiesta solar de la mañana.
Cruzan flores. Tropeles deshojándose
pasan sobre la tierra:

el oro de la vid,
la fe del polen,
y el torturado rumbo del olivo.

Es la mano del ángel
y su radioso tacto
cambiando de estaciones y horizontes.

Que las estatuas también mueren
cayendo a interminables claridades.
Que las ciudades sólo son visibles
mientras el viento alza sus murallas.
Que los dioses no crecen,
sólo sus ojos crecen traspasándolos.

Sólo ha nacido el hombre.
Sólo él vela la fogata del tiempo
que su sed alimenta.
Sólo él augura entre la noche inmóvil
el porvenir y el alba.
Sólo su miedo extiende
tactos entre la muerte
y oye venir el mundo del olvido.

Las raíces temidas de la nada
alrededor del cuerpo crecen
tejiendo el mar en que la noche nace.

Se oye venir el mundo del olvido
como un fragor de lluvia que se acerca,
dándole un orden transparente a todo,
quemada perspectiva de otra tierra,
de otros pasos al fondo
del diamante total del día
que no acaba en la noche de apagarse.

Soria, junio, 1980

Indice

"AUTORRETRATO Y TRANSFIGURACIO-
NES", VOLUMEN LXIII DE "PROVIN-
CIA", COLECCION DE POESIA AL CUI-
DADO EDITORIAL DE LA INSTITUCION
"FRAY BERNARDINO DE SAHAGUN", SE
ACABO DE IMPRIMIR EL DIA 28 DE
MAYO DE 1983, EN LOS TALLERES
DE LA IMPRENTA PROVINCIAL DE LEON

PROVINCIA Colección de Poesía

Libros publicados:

SUSCRIPCIONES:

Seis números, ptas. 800. $ USA 10.

Dirigirse a:
PROVINCIA, Colección de Poesía
Institución "Fray Bernardino de Sahagún"
Edificio Fierro. C/ Puerta La Reina, 1
LEON (España)